U0065886

[小學生]晨讀10分鐘

漫畫語文故事集 訊息文本篇

作者 曾世杰
漫畫 呂家豪、胡覺隆

作者的話

我從小愛看漫畫，「惡習」至今未改，甚至到現在還經常去某餐廳吃飯，只因那裡有一壁的漫畫書。我家老大小時候閱讀困難，我為他訂了全套漫畫版的《射雕英雄傳》，一頁頁帶著他讀，他也因此漸漸克服了閱讀困難。

有趣的是，大多數的父母師長，都不喜歡、甚至禁止孩子看漫畫，大人常罵：「還在看漫畫，你不會看點正書嗎？」不過，從自己陪孩子成長的經驗中，我發現漫畫其實可以作為陪伴孩子跨越閱讀之壁的媒材之一。

2016～2018年，我申請科技部研究專案，針對二～四年級的孩子設計一套以真實情境為題材的故事，並繪製為漫畫，以研究漫畫對兒童閱讀理解的影響。

這套漫畫語文故事集與市售漫畫最大的不同在於：

一、**強調閱讀學習**：希望孩子在閱讀過這些故事後，不只是「好過癮」，也扎扎實實的提升讀寫能力。重複文章詞語設計讓孩子不知不覺中習得新詞，每一則故事也都設計配搭的練習本，提供流暢性和閱讀理解的練習機會，以增進讀寫相關能力。

二、**強調難度控制**：每一篇文章難度及字詞使用皆控制在適合國小中年級程度，且文章的順序安排由淺入深，讓孩子能循序漸進挑戰閱讀內容。

三、**真實故事取材**：真實故事能貼近生活世界，更能整合學校與社會生活，孩子也能同理文章內容，並實際運用到生活中，這與新課綱的閱讀素養不謀而合。

四、**強調趣味**：腳本均改寫自各種有趣、感人、勵志或驚奇的真實故事，透過輕快又幽默的筆調書寫，吸引孩子閱讀與增加分享動機。

漫畫語文故事集編寫完成後，我們開始進行教學實驗研究，成果十分正向。正如所料，所有的參與兒童，都喜歡漫畫語文故事。語文能力高成就的兒童，有沒有漫畫輔助對他們的閱讀理解影響較小；但是，對於閱讀能力尚在發展的兒童，漫畫的分鏡能幫助他們提升26%閱讀理解力。

此外，臺東大學教育學系陳淑麗教授也將此漫畫語文故事應用於「差異化教學」研究，新北、臺南、花蓮、臺東的幾位四年級老師幫忙施行教學，也發現經過一個學期的實務研究，每個孩子的閱讀和語文能力表現都有大幅進步，其中有位平時找各種理由不寫功課的孩子，居然會向老師主動要求要寫漫畫語文故事集的練習本。

感謝科技部的研究支持、研究團隊陳淑麗教授和專任助理蘇春華、賴琤瑛的協助、曾參與研究的全國各地的國小老師與孩子，尤其感謝胡覺隆和呂家豪兩位漫畫家的傑出作品。最後要感謝親子天下執行長何琦瑜和她的夥伴林欣靜、楊琇珊、李幼婷，沒有你們的協助，這書永遠也出不來。

曾世杰

使用說明

在「訊息文本篇」中，文章主要以客觀的角度描述事物或現象，文章幾乎沒有主角，故事性較低，強調事實陳述。在大人平常接觸的文本中，有 95% 是訊息式文本，像是新聞或社群媒體裡的閱讀材料，所以孩子不能只讀故事性文本，更需要早一點接觸日常生活中隨處可見的訊息式文本，因此，這本書的訊息式文本增加到六篇。

在本書所選用詞彙、文章長度、故事內容都比「故事文本篇」稍微難了一些，不過這些挑戰應該不會讓孩子因此打退堂鼓。

文章設計，則是以二～四篇為一組的主題設計，讓孩子在前一篇文章中學到的閱讀策略可以產生「學習遷移」，在後續的故事裡運用出來，這樣才能有效鞏固孩子的閱讀策略學習，多元的主題選文則避免兒童在類似的內容中浸泡太久，對閱讀失去了新鮮感。

	標題	主題	內容及目的
1~4 課	母子連心 博愛座 快樂兒童餐 我比賽就是為了錢	心心相繫	四則心心相繫的動人故事，每則都可引導兒童思考主角的感受與動機。研究指出，閱讀這類文本有助於同理心的養成。
5~8 課	互助合作的海豚 寶特瓶做的衣服 鳥兒不怕辣 複製長毛象	驚奇科普	有趣的科學新知，既提高閱讀動機，又能長知識，且開啟訊息式文本的閱讀之窗。
9~10 課	為梨花撐傘 非洲獵人的智慧	問題解決	靠著對大自然的了解，獵人和農人想出新的方法，解決了遇到的問題。
11~12 課	生日怎麼過？ 各國打招呼的方式	多元文化	各國風俗人情的介紹，是具異國風情的訊息式文本。
13~14 課	全世界的第一名 誠信是珍貴的寶藏	品格典範	勇於面對挑戰，不怕丟臉；說話算話、不貪不義之財，是讓人敬佩的典範。

目錄

1

母子連心

看圖想一想

1. 你在圖片和標題中看到什麼重要訊息（人、事、物）？
2. 婦女在睡覺時，為什麼表情那麼凝重？

母子連心

1

一百五十多年前，在德國的一個小鎮上，有一個叫麥克斯的小男孩生病了。

2

他的病情越來越嚴重，連續幾天高燒不退，開始昏迷不醒。

3

去看醫生時，他的媽媽問：「這個病治得好嗎？」

4

「我沒有把握，」醫生搖搖頭說：「他病得太嚴重了。」

5

三天以後，麥克斯在床上斷了氣。麥克斯的父母把他葬在小鎮的墓園裡。

6

當天的深夜，麥克斯的媽媽做了一個惡夢，夢見麥克斯在小棺材裡發抖。「啊——」，她一聲尖叫後醒來，滿頭冷汗。

7

「沒事，沒事，你只是做了一個惡夢。」她的先生安慰她。

8

第二天的深夜，麥克斯的媽媽又是「啊——」的一聲尖叫醒來，她又做了相同的惡夢。

9

第三天的深夜，麥克斯的媽媽又被惡夢驚醒。這次，她夢見麥克斯在哭。

10

她起床，大聲的告訴丈夫：「快起床，穿衣服，我要去墓園看麥克斯。」

11

凌晨四點多，麥克斯的父母匆匆趕到墓園，把麥克斯的小棺材挖出來，並打開棺材。

12

麥克斯看起來是死了，但是先前埋葬他時，他是面朝上仰躺著，現在卻是側躺著。

13

他們趕快把麥克斯載回家，也把醫生請來。經過急救後，麥克斯慢慢的睜開了眼睛，原來他沒有死。

14

一個星期後，他又和鄰居小朋友開心的玩在一起了。

15

麥克斯後來長大成人，移民到美國。

16

他活到九十三歲，才真正過世。

母子連心

一百五十多年前，在德國的一個小鎮上，有一個叫麥克斯的小男孩生病了。

他的病情越來越嚴重，連續幾天高燒不退，開始昏迷不醒。去看醫生時，他的媽媽問：「這個病治得好嗎？」「我沒有把握，」醫生搖搖頭說：「他病得太嚴重了。」三天以後，麥克斯在床上斷了氣。麥克斯的父母把他葬在小鎮的墓園裡。

當天的深夜，麥克斯的媽媽做了一個惡夢，夢見麥克斯在小棺材裡發抖。「啊——」，她一聲尖叫後醒來，滿頭冷汗。「沒事，沒事，你只是做了一個惡夢。」她的先生安慰她。第二天的深夜，麥克斯的媽媽又是「啊——」的一聲尖叫醒來，她又做了相同的惡夢。第三天的深夜，麥克斯的媽媽又被惡夢驚醒。這次，她夢見麥克斯在哭。她起床，大聲的告訴丈夫：「快起床，穿衣服，我要去墓園看麥克斯。」

凌晨四點多，麥克斯的父母匆匆趕到墓園，把麥克斯的小棺材挖出來，並打開棺材。麥克斯看起來是死了，但是，先前埋葬他時，他是面朝上仰躺著，現在卻是側躺著。他們趕快把麥克斯載回家，也把醫生請來。經過急救後，麥克斯慢慢的睜開了眼睛，原來他沒有死。一個星期後，他又和鄰居小朋友開心的玩在一起了。

麥克斯後來長大成人，移民到美國。他活到九十三歲，才真正過世。

2 博愛座

1. 博愛座應該優先給誰坐？
2. 上圖中，誰坐著？誰站著？誰在挨罵？又為什麼挨罵？

博愛座

1

臺北捷運的每個車廂裡，都有幾張深藍色的博愛座。

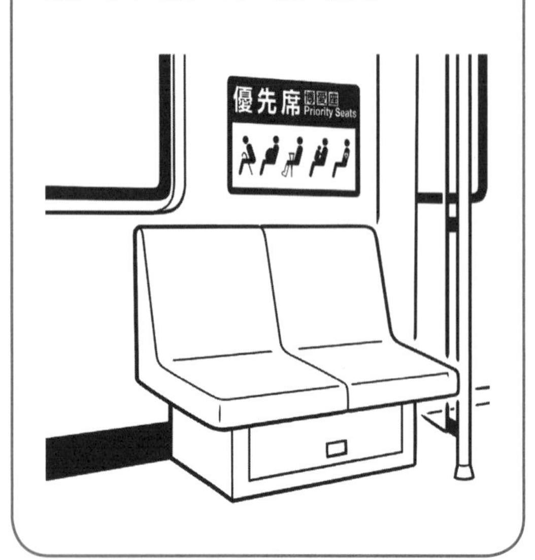

2

博愛座是優先給身體不方便和身體不舒服的人坐的。

3

像是老人家、懷孕的婦女、帶小孩的媽媽、身心障礙者和生病的人，都不方便站著，他們可以優先使用博愛座。

4

有一天，在下班尖峰時間，捷運車廂上擠滿了人。

5

有位高中生坐在博愛座上，戴著口罩，低著頭睡著了，

6

一位大媽上車後，走到高中生面前說：「現在的年輕人都不會讓座了。」

7

尖峰時間，人多吵雜，那個高中生沒聽見大媽的話，繼續睡。

8

接著大媽拉高聲音：「喂，你還在裝睡？年紀輕輕的怎麼就坐在博愛座上？」

9

被叫醒的高中生說：「我感冒了，頭很痛，還有點發燒。」

10

大媽大嚷：「不要再裝了，你爸媽沒教你要有禮貌嗎？快起來！」

11

高中生沒力氣解釋，只好起身，準備讓座給大媽。

12

坐在她隔壁的是一位頭髮斑白的老奶奶，她伸手按住高中生，不讓高中生站起來。

13

老奶奶說話了：「這位太太，年輕人都說她生病了，你怎麼還強要人家的位子？」

14

如果你需要座位，我讓位給你好了。」老奶奶一邊說，一邊站了起來。

15

大媽好尷尬，臉一下子漲紅了，急忙說：「您坐，您坐，我不需要了。」車子一停，大媽立刻一溜煙的下了車。

16

即使是年輕人，也有生病、疲累，需要博愛座的時候；

17

即使老奶奶頭髮斑白了，也有能夠幫助人的時候。

18

把位子讓給最需要的人，才是設置博愛座的用意呀！

博愛座

臺北捷運的每個車廂裡，都有幾張深藍色的博愛座。博愛座是優先給身體不方便和身體不舒服的人坐的。像是老人家、懷孕的婦女、帶小孩的媽媽、身心障礙者和生病的人，都不方便站著，他們可以優先使用博愛座。

有一天，在下班尖峰時間，捷運車廂上擠滿了人。有位高中生坐在博愛座上，戴著口罩，低著頭睡著了，一位大媽上車後，走到高中生面前說：「現在的年輕人都不會讓座了。」尖峰時間，人多吵雜，那個高中生沒聽見大媽的話，繼續睡。接著大媽拉高聲音：「喂，你還在裝睡？年紀輕輕的怎麼就坐在博愛座上？」被叫醒的高中生說：「我感冒了，頭很痛，還有點發燒。」大媽大嚷：「不要再裝了，你爸媽沒教你要有禮貌嗎？快起來！」高中生沒力氣解釋，只好起身，準備讓座給大媽。

坐在她隔壁的是一位頭髮斑白的老奶奶，她伸手按住高中生，不讓她站起來。老奶奶說話了：「這位太太，年輕人都說她生病了，你怎麼還強要人家的位子？」如果你需要座位，我讓位給你好了。」老奶奶一邊說，一邊站了起來。大媽好尷尬，臉一下子漲紅了，急忙說：「您坐，您坐，我不需要了。」車子一停，大媽立刻一溜煙的下了車。

即使是年輕人，也有生病、疲累，需要博愛座的時候；即使老奶奶頭髮斑白了，也有能夠幫助人的時候。把位子讓給最需要的人，才是設置博愛座的用意呀！

3 快樂兒童餐

看圖想一想

1. 請從圖片和標題猜猜看，這是什麼地方？是在家裡嗎？
2. 你覺得他們在做什麼？

快樂兒童餐

1

迪士尼樂園是小朋友最想和爸爸、媽媽一起去的地方，那裡充滿了歡樂與夢幻。

2

有一天晚上，迪士尼樂園裡的速食餐廳來了一對年輕夫婦。

3

他們對服務員說：「我們要一份快樂兒童餐。」

4

服務員說：「不好意思，我們公司規定只有小孩才能點兒童餐喔！」。

5

那位先生很抱歉的說：「喔！那沒關係，我們點別的好了。」

6

兩夫婦神情有些落寞的拿著餐點，在餐廳的角落坐了下來。

7

外面的夜空，正被五光十色的煙火點亮，充滿著歡樂的氣氛。

8

但這時，太太卻哭了起來，先生趕緊把手巾遞過去。

9

服務員看到之後，向前關心的詢問：「你們還好嗎？有沒有需要我幫忙的呢？」

10

太太一邊流淚，一邊說：「謝謝你。其實，今天是我女兒三歲的生日。

11

但是，她在兩歲時生了一場大病，病得很重。我們曾經告訴她，等她病好了，就要帶她來迪士尼玩，

12

而且要點快樂兒童餐來慶祝她的三歲生日。

13

但是，她已經到天上去當小天使了。」太太的眼淚又掉了下來。服務員點點頭說：「我明白了。」

14

幾分鐘後，服務員回來了，他說：「讓你們久等了，這是給小妹妹的快樂兒童餐。」

15

他接著問：「兒童椅放在爸爸、媽媽中間，可以嗎？」

16

最後，他又在兒童椅上綁了幾個彩色汽球。「祝小妹妹生日快樂！你們全家都要快樂喔。」

17

這下連先生都掉下了眼淚。

18

迪士尼樂園是小朋友最想和爸爸、媽媽一起去的地方，一個充滿歡樂、夢幻與溫馨的地方。

快樂兒童餐

迪士尼樂園是小朋友最想和爸爸、媽媽一起去的地方，那裡充滿了歡樂與夢幻。

有一天晚上，迪士尼樂園裡的速食餐廳來了一對年輕夫婦。他們對服務員說：「我們要一份快樂兒童餐。」服務員說：「不好意思，我們公司規定只有小孩才能點兒童餐喔！」。那位先生很抱歉的說：「喔！那沒關係，我們點別的好了。」兩夫婦神情有些落寞的拿著餐點，在餐廳的角落坐了下來。

外面的夜空，正被五光十色的煙火點亮，充滿著歡樂的氣氛。但這時，太太卻哭了起來，先生趕緊把手巾遞過去。服務員看到之後，向前關心的詢問：「你們還好嗎？有沒有需要我幫忙的呢？」太太一邊流淚，一邊說：「謝謝你。其實，今天是我女兒三歲的生日。但是，她在兩歲時生了一場大病，病得很重。我們曾經告訴她，等她病好了，就要帶她來迪士尼玩，而且要點快樂兒童餐來慶祝她的三歲生日。但是，她已經到天上去當小天使了。」太太的眼淚又掉了下來。

服務員點點頭說：「我明白了。」幾分鐘後，服務員回來了，他說：「讓你們久等了，這是給小妹妹的快樂兒童餐。」他接著問：「兒童椅放在爸爸、媽媽中間，可以嗎？」最後，他又在兒童椅上綁了幾個彩色汽球。「祝小妹妹生日快樂！你們全家都要快樂喔。」這下連先生都掉下了眼淚。

迪士尼樂園是小朋友最想和爸爸、媽媽一起去的地方，一個充滿歡樂、夢幻與溫馨的地方。

4 我比賽就是為了錢

看圖想一想

1. 仔細觀察圖片，說一說主角是參加什麼比賽呢？
2. 猜一猜為什麼主角要為了錢參加奧運呢？

我比賽就是為了錢

1

丘索維提娜（以下簡稱丘媽）是個偉大的體操運動員，同時也是一個偉大的媽媽。

2

1992

1992 年，丘媽十七歲，第一次參加奧運，就獲得一面金牌。

3

1996年和2000年，丘媽第二次、第三次參加奧運，但都沒有得獎。

4

然後她結婚，生下了可愛的兒子阿里夏，一家人非常幸福，她想：「我年紀大，應該退休了。」

5

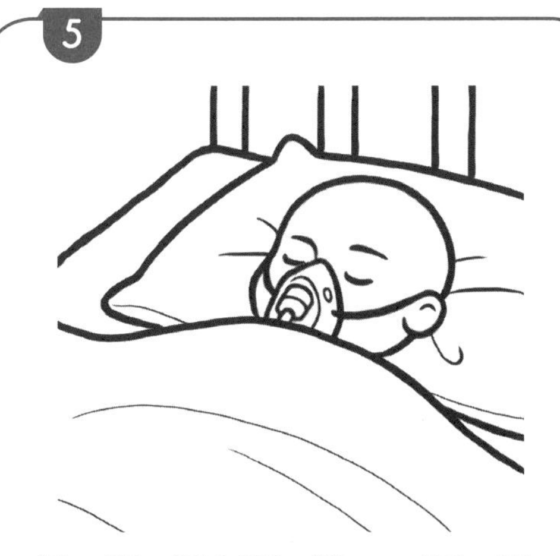

但好景不常，阿里夏三歲時突然吐血，被醫生檢查出得了白血病。治療這個病要花很多錢，可是丘媽沒有錢。

6

她想：「我要復出比賽，贏了可以拿獎金，有錢，才能給兒子治病。」

7

她開始瘋狂訓練，準備復出比賽。2002年，她在亞洲運動會裡贏了兩面金牌。

8

2003年，丘媽帶著兒子搬到德國，接受全世界最好的治療。有很多朋友捐款給她，她心裡很感謝。

9

她又陸陸續續贏了許多世界級的比賽。2004年，丘媽二十九歲，這是她第四次參加奧運，可惜沒有得獎。

10

2008年，丘媽第五次參加奧運。終於幫德國贏了一面跳馬銀牌，她舉起獎牌，大聲的說：「謝謝德國」。

11

同年十月，丘媽在比賽中腳的跟腱斷裂，大家都認為她再也不能比賽了，

12

但她痊癒後再度復出。丘媽三十七歲時，帶著傷疤，第六次參加奧運，但她這次還是沒有拿到獎牌。

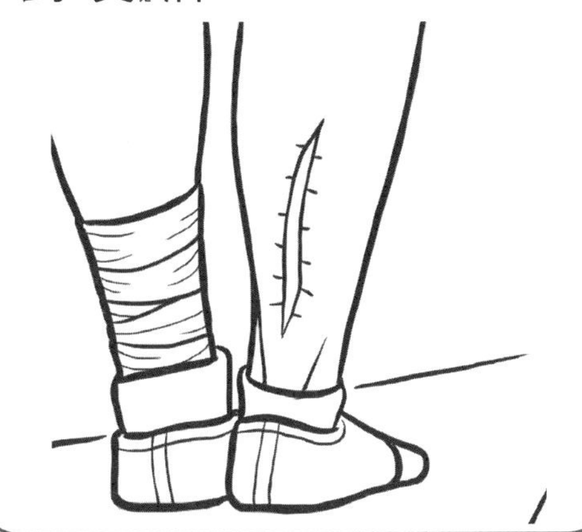

13

有人問她：「你這麼老了，為什麼還不退休？」她說：「我兒子還沒有痊癒，我怎麼敢退休？」

14

2016年八月，奧運會跳馬體操決賽，全場觀眾的目光都集中在她身上。

15

她奔跑、起跳、身體騰空、旋轉、落地，但沒站穩被扣分，最終只得到第七名。

16

雖然沒有拿到獎牌，但是全場的觀眾仍然給她最熱烈的掌聲和歡呼。

17

這是丘媽第七次參加奧運，她四十一歲，比冠軍選手大了二十二歲。是有史以來年紀最大的體操選手！

18

最高興的是，她的兒子阿里夏已經痊癒，是個十七歲的健康大男生了。

我比賽就是為了錢

丘索維提娜（以下簡稱丘媽），是個偉大的體操運動員，同時也是偉大的媽媽。1992年，丘媽十七歲，第一次參加奧運，就獲得一面金牌。1996年和2000年，丘媽第二次、第三次參加奧運，但都沒有得獎。

然後她結婚，生下了可愛的兒子阿里夏，一家人非常幸福，她想：「我年紀大，應該退休了。」但好景不常，阿里夏三歲時突然吐血，被醫生檢查出得了白血病。治療這個病要花很多錢，可是丘媽沒有錢。她想：「我要復出比賽，贏了可以拿獎金，有錢，才能給兒子治病。」

她開始瘋狂訓練，準備復出比賽。2002年，她在亞洲運動會裡贏了兩面金牌。2003年，丘媽帶著兒子搬到德國，接受全世界最好的治療。有很多朋友捐款給她，她心裡很感謝。她又陸陸續續贏了許多世界級的比賽。2004年，丘媽二十九歲，這是她第四次參加奧運，可惜沒有得獎。

2008年，丘媽第五次參加奧運。終於幫德國贏了一面跳馬銀牌，她舉起獎牌，大聲的說：「謝謝德國」。同年十月，丘媽在比賽中腳的跟腱斷裂，大家都認為她再也不能比賽了，但她痊癒後再度復出。丘媽三十七歲時，帶著傷疤，第六次參加奧運，但她這次還是沒有拿到獎牌。有人問她：「你這麼老了，為什麼還不退休？」她說：「我兒子還沒有痊癒，我怎麼敢退休？」

2016年八月，奧運會跳馬體操決賽，全場觀眾的目光都集中在她身上。她奔跑、起跳、身體騰空、旋轉、落地。但沒站穩被扣分，最終只得到第七名。雖然沒有拿到獎牌，但是全場的觀眾仍然給她最熱烈的掌聲和歡呼。這是丘媽第七次參加奧運，她四十一歲，比冠軍選手大了二十二歲。是有史以來年紀最大的體操選手！

最高興的是，她的兒子阿里夏已經痊癒，是個十七歲的健康大男生了。

故事背景說明：丘媽來自烏茲別克，
它是中亞的一個國家，在阿富汗北邊。

5 互助合作的海豚

看圖想一想

1. 你在圖片和標題中看到什麼重要訊息（人、事、物）？
2. 為什麼海豚要聚在一起，牠們想做什麼？

互助合作的海豚

1

海豚過著群體生活，既聰明又懂得分工合作。

2

有時是三、四隻的小群；有時是數十隻甚至上百隻的大群體。

3

有些海豚為了覓食，會組成覓食團體。

4

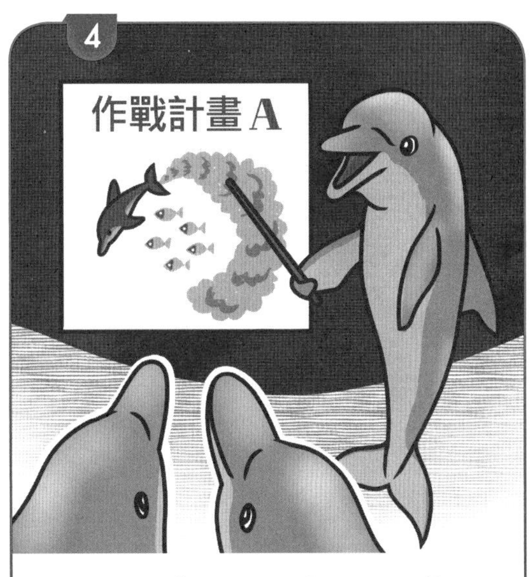

牠們會集體行動，設下陷阱捕食魚群。

5

首先，一隻海豚會在淺灘邊游邊用尾鰭拍打，揚起水中的沙塵。

6

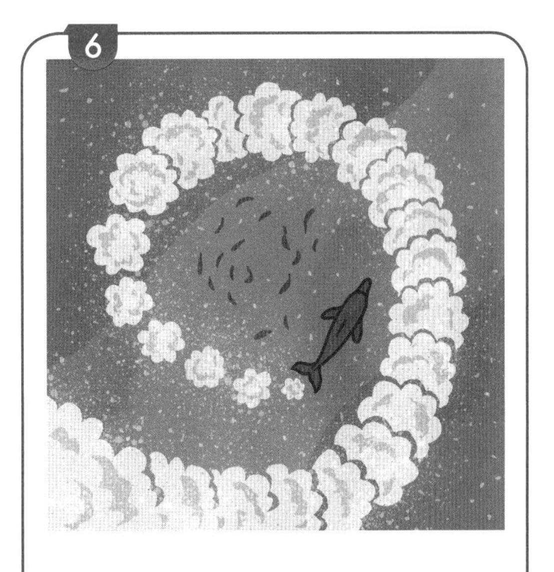

接下來，沙塵圍成的圓圈就像一張大漁網，將魚群團團圍住。

7

這時，在混濁的海水中，魚群已經失去方向，紛紛躍出水面。

8

最後，海豚只要張開大嘴就能吃到新鮮美味的魚了！

9

海豚不只與同伴合作捕魚，牠們甚至也與人類合夥捕魚呢！

10

在巴西拉古納市，就有一群數量約五十隻的瓶鼻海豚，幾年來不間斷的幫助當地漁夫捕魚。

11

這群海豚會先將魚群從大海趕到岸邊，

12

接著，每一隻海豚都擺動頭尾，魚群受到驚嚇，便此起彼落的跳出水面。

13

在岸邊等待的漁夫們，紛紛撒網捕魚。

14

漁夫一次可以捕獲四、五十斤的魚，有時數量可達八十幾條呢。

15

這群野生的瓶鼻海豚和當地的漁夫們成了好朋友。

16

海豚群體生活的好處不只是覓食，也能保護自己不受攻擊。

17

海豚媽媽們也會互相照顧寶寶，一起養育下一代。

18

在遷徙的季節，數以千計的海豚成群結隊越過大洋，景象十分壯觀。懂得互助合作的海豚是不是很聰明啊？

互助合作的海豚

海豚過著群體生活，既聰明又懂得分工合作。有時是三、四隻的小群，有時是數十隻甚至上百隻的大群體。有些海豚為了覓食，會組成覓食團體。牠們會集體行動，設下陷阱捕食魚群。

首先，一隻海豚會在淺灘邊游邊用尾鰭拍打，揚起水中的沙塵。接下來，沙塵圍成的圓圈就像一張大漁網，將魚群團團圍住。這時，在混濁的海水中，魚群已經失去方向，紛紛躍出水面。最後，海豚只要張開大嘴就能吃到新鮮美味的魚了！

海豚不只與同伴合作捕魚，牠們甚至也與人類合夥捕魚呢！

在巴西拉古納市，就有一群數量約五十隻的瓶鼻海豚，幾年來不間斷的幫助當地漁夫捕魚。這群海豚會先將魚群從大海趕到岸邊，接著，每一隻海豚都擺動頭尾，魚群受到驚嚇，便此起彼落的跳出水面。在岸邊等待的漁夫們，紛紛撒網捕魚。

漁夫一次可以捕獲四、五十斤的魚，有時數量可達八十幾條呢。這群野生的瓶鼻海豚和當地的漁夫們成了好朋友。

海豚群體生活的好處不只是覓食，也能保護自己不受攻擊。海豚媽媽們也會互相照顧寶寶，一起養育下一代。在遷徙的季節，數以千計的海豚成群結隊越過大洋，景象十分壯觀。懂得互助合作的海豚是不是很聰明啊？

6 寶特瓶做的衣服

看圖想一想

1. 寶特瓶回收以後，都到哪裡去了？
2. 你想知道，硬硬的寶特瓶怎樣做成軟軟的衣服嗎？

寶特瓶做的衣服

1

你喝完飲料，裝飲料的寶特瓶可以回收、再利用。這麼做能解決一個很大的環保問題。

2

臺灣每天使用一百二十三萬支寶特瓶。每年會回收九萬公噸寶特瓶。

123萬支

每天使用

9萬公噸

每年回收

3

如果把這些寶特瓶堆起來，體積可以堆滿三座 101 大樓。

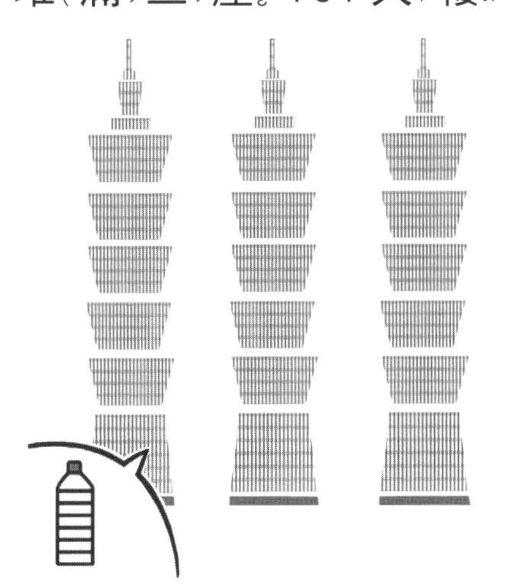

4

想像一下，這麼多寶特瓶丟進海裡，漂亮的大海就變成了……

5

「那麼，該怎麼處理這些使用過的寶特瓶呢？」很簡單，把它丟進回收桶就行了。

6

被回收的寶特瓶會被送到回收廠，並去除瓶蓋、瓶環及瓶身包裝紙。

7

接著瓶身會被壓扁，並依照原來的顏色進行分類。

8

再來寶特瓶會被切成一公分左右的小碎片，

9

這些小碎片經過清洗後，會變回小小的、和白米差不多大小的原料顆粒。

10

原料顆粒加熱後會變軟，可以再次做成新的寶特瓶。

不過，回收的寶特瓶不僅能夠再次做成寶特瓶，還有其他的用途喔！

你知道嗎？寶特瓶和衣服的成分幾乎是一樣的！

原料顆粒可以被拉成又細又長的紗線，就像蠶寶寶吐出來的絲。

這些紗線經過紡織後變成一塊塊柔軟的布料。

15

平均約八支寶特瓶可以製作成一件運動上衣。

16

2014 年的世界盃足球賽，就有十個球隊穿著寶特瓶再製的球衣上場踢球。

17

MADE IN TAIWAN

而且每一件都是臺灣製的喔！

18

想不到寶特瓶的命運差這麼多，亂丟是垃圾，回收後卻能變成實用的衣服。

寶特瓶做的衣服

你喝完飲料，裝飲料的寶特瓶可以回收，再利用。這麼做能解決一個很大的環保問題。

臺灣每天使用一百二十三萬支寶特瓶。每年會回收九萬公噸寶特瓶。如果把這些寶特瓶堆起來，體積可以堆滿三座 101 大樓。想像一下，這麼多寶特瓶丟進海裡，漂亮的大海就變成了……「那麼，該怎麼處理這些使用過的寶特瓶呢？」很簡單，把它丟進回收桶就行了。

被回收的寶特瓶會被送到回收廠，並去除瓶蓋、瓶環及瓶身包裝紙。接著瓶身會被壓扁，並依照原來的顏色進行分類。再來寶特瓶會被切成一公分左右的小碎片，這些小碎片經過清洗後，會變回小小的、和白米差不多大小的原料顆粒。原料顆粒加熱後會變軟，可以再次做成新的寶特瓶。不過，回收的寶特瓶不僅能夠再次做成寶特瓶，還有其他的用途喔！

你知道嗎？寶特瓶和衣服的成分幾乎是一樣的！原料顆粒可以被拉成又細又長的紗線，就像蠶寶寶吐出來的絲。這些紗線經過紡織後變成一塊塊柔軟的布料。平均約八支寶特瓶可以製作成一件運動上衣。2014年的世界盃足球賽，就有十個球隊穿著寶特瓶再製的球衣上場踢球，而且每一件都是臺灣製的喔！

想不到寶特瓶的命運差這麼多，亂丟是垃圾，回收後卻能變成實用的衣服。

7 鳥兒不怕辣

1. 你在圖片和標題中看到什麼重要訊息（人、事、物）？
2. 面對辣椒，小鳥和兔子有什麼反應？為什麼？

看圖讀一讀

鳥兒不怕辣

1

你敢吃辣嗎？許多小朋友不敢吃辣，不小心吃到辣椒，嘴裡就像著了火。

2

「水！快給我水，我快辣死了！」

3

嚴重時，嘴脣會腫起來，變成香腸嘴。

4

但有些人喜歡辣，吃麵時，加點辣椒醬，吃得滿頭大汗，好過癮。

5

但最愛吃辣的人，也受不了魔鬼辣椒，它比一般的辣椒辣上一千倍。

6

連用手摸，皮膚都會感覺燙燙的，甚至有疼痛感。

7

但是，最近有些朋友發現自家的鸚鵡，居然抓著魔鬼辣椒一口一口吃個不停。

8

「鸚鵡會不會被辣死？」「咦！難道牠吃的是不辣的辣椒嗎？」

9

其實，對鳥類來說，吃辣椒不是問題。因為鳥類對辣沒有感覺。

10

而且辣椒有豐富的維生素C，吃辣椒對鳥類的身體很好。

11

對辣椒來說，被鳥兒吃掉也是好處多多。

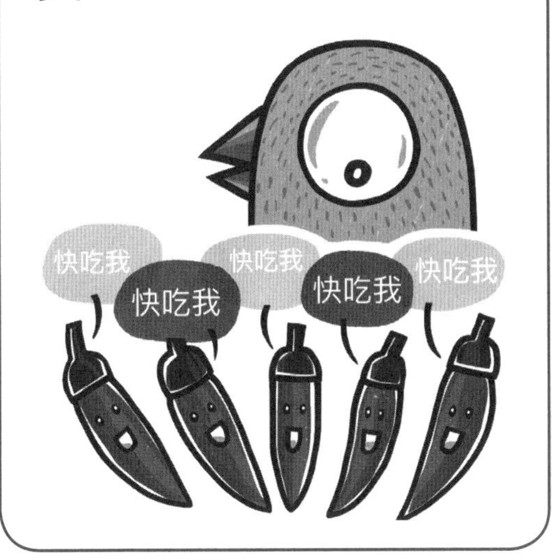

12

因為鳥兒無法消化辣椒的種子，會將種子排出體外。

13

辣椒種子

當鳥兒吃了辣椒後，到處飛翔移動，並排便後，就能順便幫忙散播種子。

14

辣椒種子沒有腳，卻能傳播到世界各地，都要歸功於不怕辣的鳥兒。

15

但是，哺乳類動物，例如人、貓、狗，都對「辣」很敏感。

16

科學家認為，辣椒之所以演化成辛辣性植物，就是為了防止被哺乳類動物吃掉。

17

辣椒讓鳥兒愛不釋手，哺乳類動物卻不敢碰它。真是一種奇妙的植物！

鳥兒不怕辣

你敢吃辣嗎？許多小朋友不敢吃辣，不小心吃到辣椒，嘴裡就像著了火。「水！快給我水，我快辣死了！」嚴重時，嘴脣會腫起來，變成香腸嘴。但有些人喜歡辣，吃麵時，加點辣椒醬，吃得滿頭大汗，好過癮。但最愛吃辣的人，也受不了魔鬼辣椒，它比一般的辣椒辣上一千倍。連用手摸，皮膚都會感覺燙燙的，甚至有疼痛感。

但是，最近有些朋友發現自家的鸚鵡，居然抓著魔鬼辣椒一口一口吃個不停。「鸚鵡會不會被辣死？」「咦！難道牠吃的是不辣的辣椒嗎？」

其實，對鳥類來說，吃辣椒不是問題。因為鳥類對辣沒有感覺。而且辣椒有豐富的維生素C，吃辣椒對鳥類的身體很好。對辣椒來說，被鳥兒吃掉也是好處多多。因為鳥兒無法消化辣椒的種子，會將種子排出體外。當鳥兒吃了辣椒後，到處飛翔移動，並排便後，就能順便幫忙散播種子。辣椒種子沒有腳，卻能傳播到世界各地，都要歸功於不怕辣的鳥兒。但是，哺乳類動物，例如人、貓、狗，都對「辣」很敏感。科學家認為，辣椒之所以演化成辛辣性植物，就是為了防止被哺乳類動物吃掉。辣椒讓鳥兒愛不釋手，哺乳類動物卻不敢碰它。真是一種奇妙的植物！

8 複製長毛象

1. 你在圖片和標題中看到什麼重要訊息（人、事、物）？
2. 你覺得複製青蛙、貓和狗跟複製長毛象有什麼關係？為什麼？

看圖讀一讀

複製長毛象

1

我們去打鑰匙的時候，老闆會照我們給的鑰匙，複製另外一把一模一樣的鑰匙。

2

但你能想像，有的孩子可以長得跟媽媽完全一樣嗎？就像照鏡子那樣相像。

3

1997 年，科學家替一頭白臉母羊，複製了一隻和她一模一樣的小羊，

4

這頭小羊就是世界知名的桃莉羊。科學家是怎麼做到的呢？

5

他們先從一頭黑臉母羊身體裡取出一個卵細胞，再取出細胞核，這樣就得到一個空的卵。

6

接著把桃莉媽媽的細胞核，放進這個卵裡，

7

最後，再把卵放進另一頭黑臉母羊的肚子裡，懷胎五個月後，就能生出和桃莉媽媽一模一樣的白臉羊了。

8

科學家也有成功複製青蛙、貓和狗的經驗。

9

但已經絕種的動物，科學家還有可能複製嗎？

10

2017 年，在非常寒冷的北極，科學家挖到一隻兩萬年前死掉的長毛象。

11

因為那裡太冷了，像是個天然的冰箱，所以把這隻長毛象保存得很好，

12

從牠身上取出的血和肉都還很新鮮。

13

長毛象血肉裡的細胞

取出細胞核

長毛象的細胞核
+
大象的空卵

大象卵細胞

去除細胞核的卵細胞

科學家認為，如果可以把長毛象的細胞核，放進現代大象的卵裡。

14

再把卵放進一隻健康母象的肚子裡，

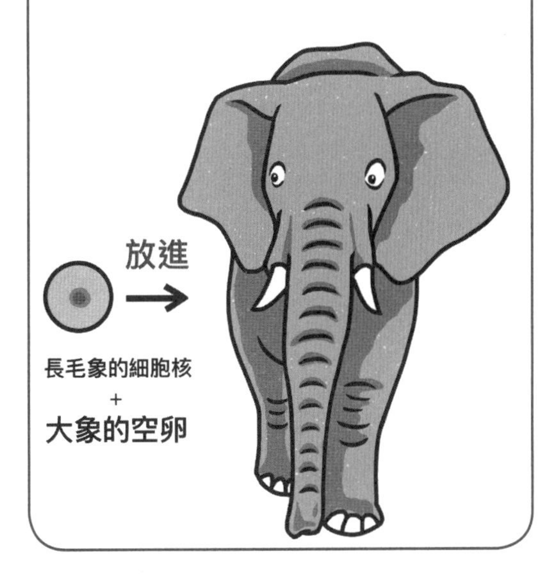

15

母象的肚子會越來越大，等到六百六十天後，就可以生出小象了。

16

你猜，這頭小象會不會有長長的毛呢？

17

如果生出來的是長毛象，那動物園裡就會有新的夥伴加入了。

18

哇！那未來劍齒虎、長毛犀，甚至是恐龍，可能都有希望重現江湖囉！

複製長毛象

我們去打鑰匙的時候，老闆會照我們給的鑰匙，複製另外一把一模一樣的鑰匙。但你能想像，有的孩子可以長得跟媽媽完全一樣嗎？就像照鏡子那樣相像。

1997 年，科學家替一頭白臉母羊，複製了和她一隻一模一樣的小羊，這頭小羊就是世界知名的桃莉羊。科學家是怎麼做到的呢？他們先從一頭黑臉母羊身體裡取出一個卵細胞，再取出細胞核，這樣就得到一個空的卵。接著把桃莉媽媽的細胞核，放進這個卵裡，最後，再把卵放進另一頭黑臉母羊的肚子裡，懷胎五個月後，就能生出和桃莉媽媽一模一樣的白臉羊了。科學家也有成功複製青蛙、貓和狗的經驗。但已經絕種的動物，科學家還有可能複製嗎？

2017 年，在非常寒冷的北極，科學家挖到一隻兩萬年前死掉的長毛象。因為那裡太冷了，像是個天然的冰箱，所以把這隻長毛象保存得很好，從牠身上取出的血和肉都還很新鮮。科學家認為，如果可以把長毛象的細胞核，放進現代大象的卵裡。再把卵放進一隻健康母象的肚子裡，母象的肚子會越來越大，等到六百六十天後，就可以生出小象了。

你猜，這頭小象會不會有長長的毛呢？如果生出來的是長毛象，那動物園裡就會有新的夥伴加入了。哇！那未來劍齒虎、長毛犀，甚至是恐龍，可能都有希望重現江湖囉！

9 為梨花撐傘

1. 你在圖片和標題中看到什麼重要訊息（人、事、物）？

2. 猜猜看，為什麼果農露出失望、擔心的表情？

看圖讀一讀

為梨花撐傘

1

宜蘭三星鄉的上將梨甜美多汁，非常受消費者的歡迎。

2

但是，梨子在元月時開花，此時正是宜蘭陰雨綿綿的月分。

3

有時連下一個月的雨，梨花的花瓣、花萼都因淋雨而腐爛，結不成果子。

4

有一年元月，又下雨了，梨農翁松根先生站在雨中看著大片梨園發愁。

5

「再繼續下雨，今年就沒有收成了。怎樣才能幫花遮雨呢？」翁先生心想。

6

有天，他吃泡麵時，看到泡麵的塑膠碗，靈機一動：「有了，我來做一個實驗試試看。」

7

他把空碗倒過來，用免洗筷撐著，再用膠帶和線把碗固定，綁在一朵一朵的花上。

8

用來實驗的五棵梨樹上，每一朵花上都有「雨傘」遮著，不怕淋雨。

9

結果，那年有遮傘的五棵梨樹，比沒有遮傘的梨樹收成好很多。

10

這個消息一傳十、十傳百，「這真是個好主意！」許多梨農開心的說。

11

第二年的元月，梨農們都開始用免洗碗幫梨花撐傘，許多梨樹上滿布著粉紅色的塑膠碗。

12

這時，新的問題來了，小雨傘又要綁線又要纏膠帶，實在太麻煩了。

13

一棵梨樹就有兩百朵花，農民站在梯子上，耗時費神，一天只能完成兩棵梨樹，太辛苦了。

14

有人想出了更好的辦法，他們發明有夾子的小雨傘。

15

只要把小雨傘夾在花旁的樹枝上，就可以為梨花遮雨，十分節省人力。

16

為一棵樹撐傘的時間只要四十分鐘，而且一把傘還可以用五年。

17

現在宜蘭的春天，梨園裡到處都是五顏六色的小雨傘掛在樹上，非常美麗。

18

下次去宜蘭玩，可別忘了買上將梨，說不定農民還會贈送一把小雨傘喔。

為梨花撐傘

宜蘭三星鄉的上將梨甜美多汁，非常受消費者的歡迎。但是，梨子在元月時開花，此時正是宜蘭陰雨綿綿的月分。有時連下一個月的雨，梨花的花瓣、花萼都因淋雨而腐爛，結不成果子。

有一年元月，又下雨了，梨農翁松根先生站在雨中看著大片梨園發愁。「再繼續下雨，今年就沒有收成了。怎樣才能幫花遮雨呢？」翁先生心想。有天，他吃泡麵時，看到泡麵的塑膠碗，靈機一動：「有了，我來做一個實驗試試看。」他把空碗倒過來，用免洗筷撐著，再用膠帶和線把碗固定，綁在一朵一朵的花上。用來實驗的五棵梨樹上，每一朵花上都有「雨傘」遮著，不怕淋雨。結果，那年有遮傘的五棵梨樹，比沒有遮傘的梨樹收成好很多。這個消息一傳十、十傳百，「這真是個好主意！」許多梨農開心的說。

第二年的元月，梨農們都開始用免洗碗幫梨花撐傘，許多梨樹上滿布著粉紅色的塑膠碗。這時新的問題來了，小雨傘又要綁線又要纏膠帶，實在太麻煩了。一棵梨樹就有兩百朵花，農民站在梯子上，耗時費神，一天只能完成兩棵梨樹，太辛苦了。有人想出了更好的辦法，他們發明有夾子的小雨傘。只要把小雨傘夾在花旁的樹枝上，就可以為梨花遮雨，十分節省人力。為一棵樹撐傘的時間只要四十分鐘，而且一把傘還可以用五年。

現在宜蘭的春天，梨園裡到處都是五顏六色的小雨傘掛在樹上，非常美麗。下次去宜蘭玩，可別忘了買上將梨，說不定農民還會贈送一把小雨傘喔。

本文感謝翁松根先生提供寶貴資料。

10 非洲獵人的智慧

看圖想一想

1. 你在圖片和標題中看到什麼重要訊息（人、事、物）？
2. 你覺得獵人在做什麼？為什麼他要這樣做？

非洲獵人的智慧

1

非洲的卡拉哈里沙漠非常缺水，但是，住在那裡的狒狒，卻知道一個祕密的水源。

2

一天，有個獵人來沙漠打獵，他帶來的水喝完了，非常口渴，

3

但他不知道要去哪裡取水，只能把希望放在狒狒身上。

4

但是狒狒是不會把祕密水源告訴別人的，

5

於是獵人想了一個好方法，讓狒狒自己「講出」這個祕密。

6

獵人故意在狒狒面前走到一棵樹下，在樹幹上挖個小洞，再把一些野瓜子放進洞裡，然後躲在一旁。

7

看見這一幕的狒狒，一開始假裝什麼都沒看見，

8

但是，過不了多久，好奇心到達頂點的狒狒，終於忍不住走向樹幹，想一探究竟。

9

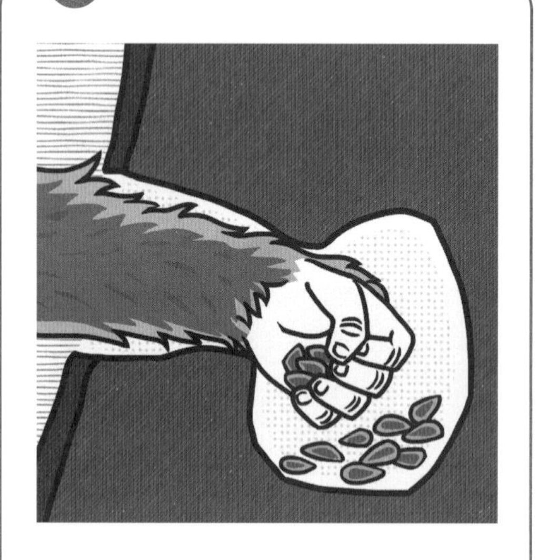

狒狒把手伸進樹洞，一把抓起野瓜子，

10

當牠想把抓著瓜子的手伸出洞口時，手卻卡住了。

11

狒狒齜牙咧嘴、跳上跳下的掙扎，這時獵人出現了，捉住了這隻抓著瓜子不放的狒狒。

12

獵人用繩子把狒狒綁在樹下，並丟下一些沙漠很缺乏的鹽巴塊，

13

狒狒撿起鹽巴塊津津有味的吃著，根本就忘記自己被綁起來了。

14

吃了鹽巴之後，狒狒感到非常口渴。

15

這時獵人解開狒狒的繩子。

16

極度口渴的狒狒顧不了後面有人跟著，牠奮力的跑向祕密水源。

17

原來祕密水源是在一個漂亮的山洞裡，沒有狒狒的帶領，獵人一定沒有辦法自己找到。

18

靠著對動物的了解，獵人終於喝到清涼又甘甜的泉水了。

非洲獵人的智慧

非洲的卡拉哈里沙漠非常缺水，但是，住在那裡的狒狒，卻知道一個祕密的水源。一天，有個獵人來沙漠打獵，他帶來的水喝完了，非常口渴，但他不知道要去哪裡取水，只能把希望放在狒狒身上。但是狒狒是不會把祕密水源告訴別人的，於是獵人想了一個好方法，讓狒狒自己「講出」這個祕密。

獵人故意在狒狒面前走到一棵樹下，在樹幹上挖個小洞，再把一些野瓜子放進洞裡，然後躲在一旁。看見這一幕的狒狒，一開始假裝什麼都沒看見，但是，過不了多久，好奇心到達頂點的狒狒，終於忍不住走向樹幹，想一探究竟。狒狒把手伸進樹洞，一把抓起野瓜子，當牠想把抓著瓜子的手伸出洞口時，手卻卡住了。狒狒齜牙咧嘴、跳上跳下的掙扎，這時獵人出現了，捉住了這隻抓著瓜子不放的狒狒。獵人用繩子把狒狒綁在樹下，並丟下一些沙漠很缺乏的鹽巴塊，狒狒撿起鹽巴塊津津有味的吃著，根本就忘記自己被綁起來了。吃了鹽巴之後，狒狒感到非常口渴。這時獵人解開狒狒的繩子。極度口渴的狒狒顧不了後面有人跟著，牠奮力的跑向祕密水源。

原來祕密水源是在一個漂亮的山洞裡，沒有狒狒的帶領，獵人一定沒有辦法自己找到。靠著對動物的了解，獵人終於喝到清涼又甘甜的泉水了。

11 生日怎麼過？

看圖想一想

1. 你在圖片和標題中看到什麼重要訊息（人、事、物）？
2. 猜猜看他們怎麼過生日？為什麼？

看圖讀一讀

生日怎麼過？

1

你生日的時候會吹蠟燭、切蛋糕嗎？你知道世界各國有不同的慶生方式嗎？

2

你的爺爺、奶奶小時候慶生，就不會吃蛋糕，而是吃一碗豬腳麵線。

3

豬腳代表強健，還有把霉運踢走的意思，麵線則代表長壽，所以豬腳麵線就是去霉運又長壽。

4

日本的傳統慶生方式是吃紅豆飯。因為日本人認為紅豆的顏色是幸運色，可以趕走惡運並帶來幸福。

5

其實日本人不只是生日吃紅豆飯，各種值得慶祝的場合也都會準備紅豆飯喔。

6

韓國人生日時，除了會說：「生日快樂。」還會問：「今天喝海帶湯了嗎？」

7

因為海帶有豐富的碘和鈣，能幫助生產後的媽媽恢復體力和分泌乳汁。

8

所以，韓國人生日時喝海帶湯，是為了感謝媽媽生產的辛苦與恩惠。

9

英國的慶生方式則是吃杯子蛋糕，其中一個蛋糕裡會放一枚硬幣，

10

參與慶生會的人若能吃到這個藏有硬幣的蛋糕，會得到財富與好運。

11

現在，全世界的小朋友生日時，總少不了一個圓形的蛋糕，但為什麼是圓的呢？原來這和古希臘人信奉的月亮女神有關。

12

女神生日時，人們會製作跟月亮一樣的圓形蛋糕，並在蛋糕上點蠟燭向女神許願，

13

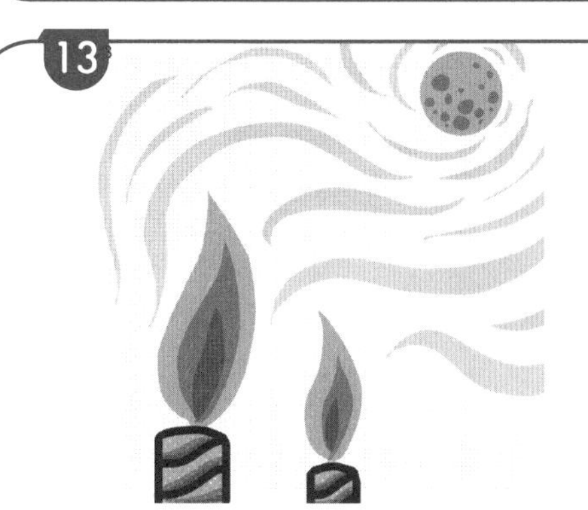

因為蠟燭的煙會向上飄，傳說願望就會隨著煙飄到月亮女神耳中。

14

現在有網路了，很多人都有社群網站帳號，它們會提醒你：今天是誰的生日。

15

你只要在手機上按下按鍵，就可以發送祝福的訊息和圖片給遠方的壽星。

16

想想看，壽星生日當天一早起來，打開手機就會發現滿滿的生日祝福，

17

有文字、有圖片、有相片，是多開心的一件事啊！

18

各國擁有各式各樣的慶生習俗，不變的是對壽星平安好運的祝福。

生日怎麼過？

你生日的時候會吹蠟燭、切蛋糕嗎？你知道世界各國有不同的慶生方式嗎？

你的爺爺、奶奶小時候慶生，就不會吃蛋糕，而是吃一碗豬腳麵線。豬腳代表強健，還有把霉運踢走的意思，麵線則代表長壽，所以豬腳麵線就是去霉運又長壽。

日本的傳統慶生方式是吃紅豆飯。因為日本人認為紅豆的顏色是幸運色，可以趕走惡運並帶來幸福。其實日本人不只是生日吃紅豆飯，各種值得慶祝的場合也都會準備紅豆飯喔。

韓國人生日時，除了會說：「生日快樂。」還會問：「今天喝海帶湯了嗎？」因為海帶有豐富的碘和鈣，能幫助生產後的媽媽恢復體力和分泌乳汁。所以，韓國人生日時喝海帶湯，是為了感謝媽媽生產的辛苦與恩惠。

英國的慶生方式則是吃杯子蛋糕，其中一個蛋糕裡會放一枚硬幣，參與慶生會的人若能吃到這個藏有硬幣的蛋糕，會得到財富與好運。

現在，全世界的小朋友生日時，總少不

了一個圓形的蛋糕，但為什麼是圓的呢？原來這和古希臘人信奉的月亮女神有關。女神生日時，人們會製作跟月亮一樣的圓形蛋糕，並在蛋糕上點蠟燭向女神許願，因為蠟燭的煙會向上飄，傳說願望就會隨著煙飄到月亮女神耳中。

現在有網路了，很多人都有社群網站帳號，它們會提醒你：今天是誰的生日。你只要在手機上按下按鍵，就可以發送祝福的訊息和圖片給遠方的壽星。想想看，壽星生日當天一早起來，打開手機就會發現滿滿的生日祝福，有文字、有圖片、有相片，是多開心的一件事啊！

各國擁有各式各樣的慶生習俗，不變的是對壽星平安好運的祝福。

12 各國打招呼的方式

看圖想一想

1. 你在圖片和標題中看到什麼重要訊息（人、事、物）？
2. 你覺得圖片中的小男生在做什麼？為什麼？

各國打招呼的方式

1

世界上有一百九十幾個國家，有些國家打招呼的方式很特別喔！

2

日本人最愛鞠躬了。在日常生活的打招呼，日本人只會彎腰十五度。

3

但初次見面或自我介紹時，則會彎腰三十到四十五度；若要表示最高的尊敬，就必須彎腰到九十度。

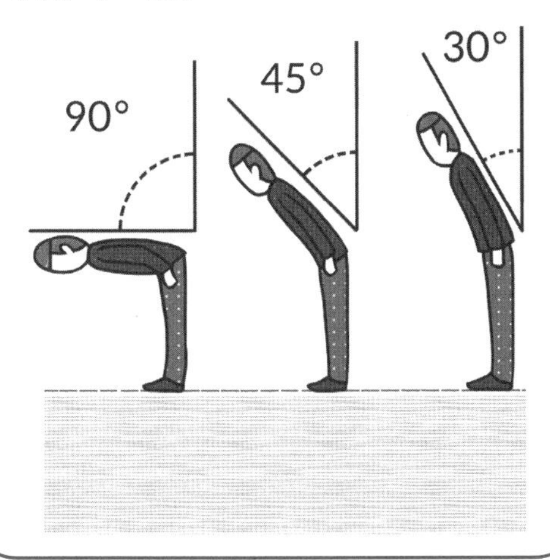

4

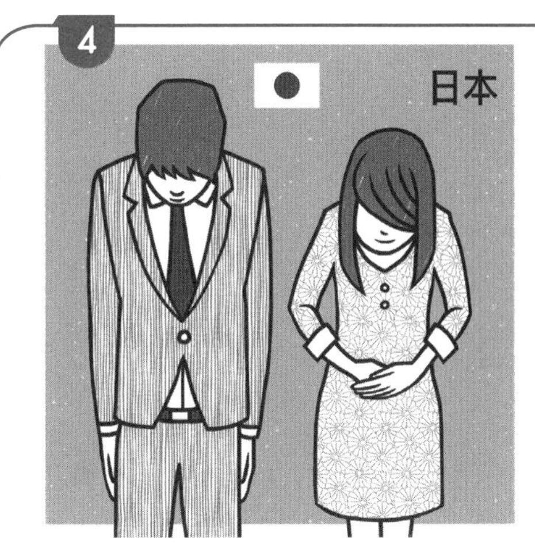

鞠躬時，男生兩手會自然的放在大腿兩側，而女生會把左手放在右手上，再放到身前行鞠躬禮。

5

泰國人打招呼時，會將雙手合十，放在胸前，稍微低頭。

6

在泰國，連速食餐廳的形象人物也會雙手合十向你打招呼喔。

7

在馬來西亞，一般人見面，會把右掌放在左胸前，表示「我打從心底向您問候」。

8

但是千萬不能用左手打招呼，這樣做則是表示侮辱。

9

印度人最常見的打招呼方式也是雙手合十行禮，

10

但是，向長者打招呼時，他們會彎下身體，並碰觸長者的腳，表達對長者的尊敬。

11

西藏人有著最特殊的打招呼方式，他們會伸出舌頭來打招呼。

12

但請放心，他們不是要舔你，只是表示他們沒有惡意，也不會在背後罵你。

13

再看美國這個國家，有人會以為美國很熱情，見面就會擁抱或親吻，但真的是這樣嗎？

14

其實，在美國最普遍的打招呼方式是握手、碰拳頭。

15

只有面對親人或好友時他們才會給予擁抱。

16

在法國，熟人間以親吻臉頰的方式來打招呼，但通常沒有真正親吻，碰一下臉就可以了。

17

每個國家有著不同的打招呼方式，下次走訪不同國家時，可別忘了先了解那個國家打招呼的方式喔！

各國打招呼的方式

世界上有一百九十幾個國家，有些國家打招呼的方式很特別喔！

日本人最愛鞠躬了。在日常生活的打招呼，日本人只會彎腰十五度。但初次見面或自我介紹時，則會彎腰三十到四十五度；若要表示最高的尊敬，就必須彎腰到九十度。鞠躬時，男生兩手會自然的放在大腿兩側，而女生會把左手放在右手上，再放到身前行鞠躬禮。

泰國人打招呼時，會在胸前雙手合十，稍微低頭。在泰國，連速食餐廳的形象人物也會雙手合十向你打招呼喔。

在馬來西亞，一般人見面，會把右掌放在左胸前，表示「我打從心底向您問候」。但是千萬不能用左手打招呼，這樣做則是表示侮辱。

印度人最常見的打招呼方式也是雙手合十行禮，但是，向長者打招呼時，他們會彎下身體並碰觸長者的腳，表達對長者的尊敬。

西藏人有著最特殊的打招呼方式，他們

會伸出舌頭來打招呼。但請放心，他們不是要舔你，只是表示他們沒有惡意，也不會在背後罵你。

再看美國這個國家，有人會以為美國很熱情，見面就會擁抱或親吻，但真的是這樣嗎？其實，在美國最普遍的打招呼方式是握手、碰拳頭。只有面對親人或好友時他們才會給予擁抱。

在法國，熟人間以親吻臉頰的方式來打招呼，但通常沒有真正親吻，碰一下臉就可以了。

每個國家有著不同的打招呼方式，下次走訪不同國家時，可別忘了先了解那個國家打招呼的方式喔！

13 全世界的第一名

看圖想一想

1. 圖中的建築物位於哪個國家，和奧運會有什麼關聯呢？
2. 不會游泳的艾瑞克為什麼能參加奧運會游泳比賽？

全世界的第一名

1

這是艾瑞克・莫三巴尼2000年在澳洲雪梨參加奧運自由式100公尺游泳比賽的故事。

2

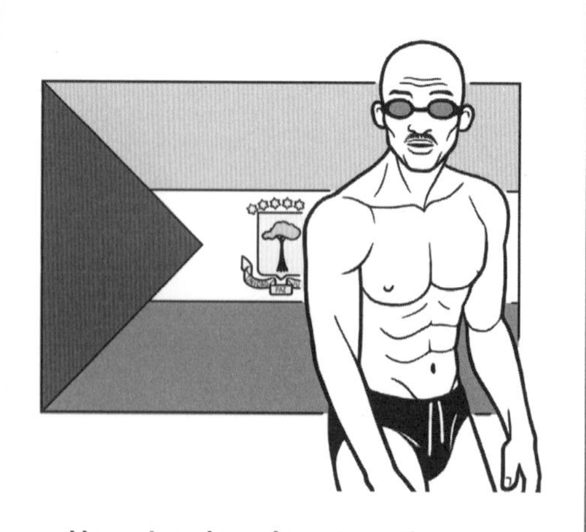

艾瑞克來自非洲一個很窮的小國家——赤道幾內亞。

3

這次比賽是他有生以來第一次參加比賽、第一次看到選手跳水、

4

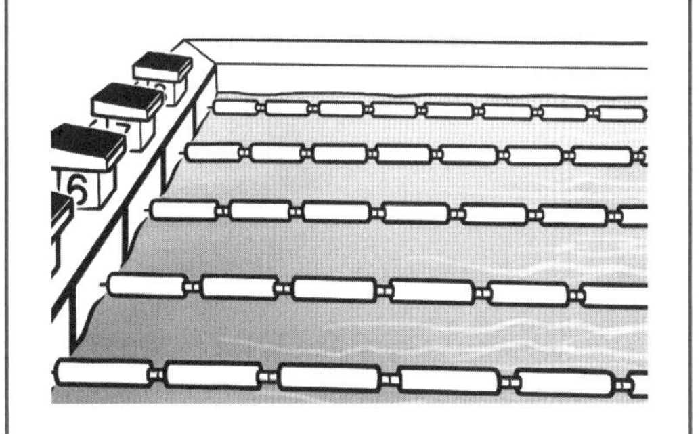

第一次看到長達五十公尺的標準游泳池。

5

艾瑞克的國家只有一座十三公尺長的游泳池，他一星期只能在那裡練習三個小時。

6

因為練習的時間太少了，所以他必須到河流裡、到海邊練習游泳。

7

他沒有教練，只有一個漁夫教他腳要怎麼踢，手要怎麼划，才不會沉下去。

8

比賽前一天，艾瑞克偷偷模仿其他選手跳水的樣子，終於學會怎麼跳水。

9

比賽當天，游泳館內有幾千個觀眾，幾百臺攝影機，現場鬧哄哄的。

10

艾瑞克知道，全世界最頂尖、游得最快的選手都在這裡了。

11

看著似乎沒有盡頭的長水道，艾瑞克問自己：「我游得過去嗎？」

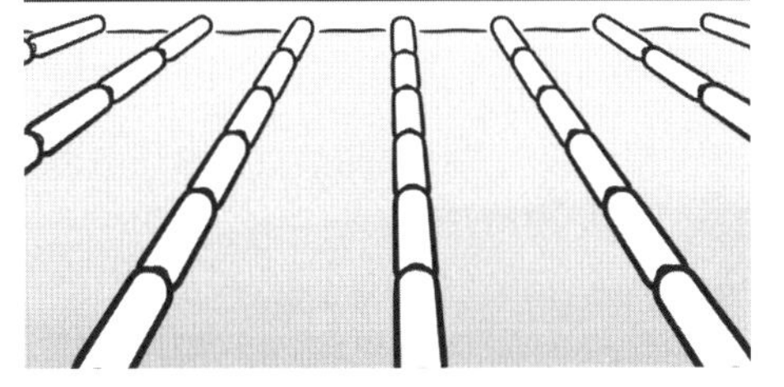

他身體微微發抖，但他咬咬牙對自己說：「我一定辦得到！」

13

槍聲一響，他跳入水裡，使盡吃奶的力氣飛快的擺動著手臂、踢動雙腿。

終於游了五十公尺後，他迴轉，開始游第二個五十公尺。

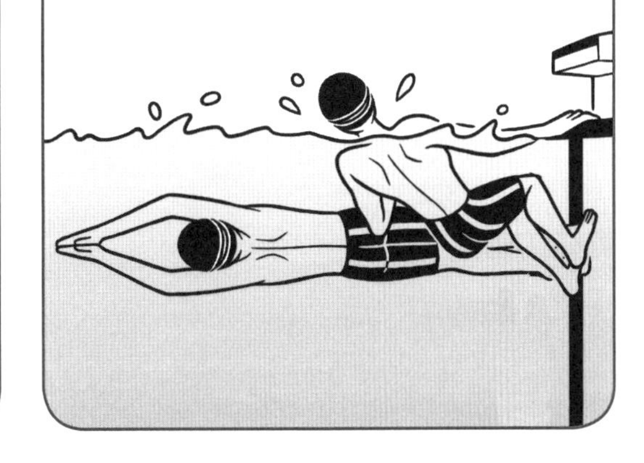

15

但他開始筋疲力竭，腳踢不動，肺似乎要爆炸，他越游越慢。

16

但這時，「加油，艾瑞克加油！」的呼喊聲從四面八方傳來。

17

全場觀眾起立，大聲為艾瑞克鼓掌及加油，艾瑞克使盡最後一分力氣，終於游到了終點。

18

雖然他的成績是最後一名，但是他面對困難、不怕丟臉的精神，卻是全世界的第一名。

全世界的第一名

這是艾瑞克．莫三巴尼在2000年澳洲雪梨參加奧運自由式100公尺游泳比賽的故事。

艾瑞克來自非洲一個很窮的小國家——赤道幾內亞。這次比賽是他有生以來第一次參加比賽、第一次看到選手跳水、第一次看到長達五十公尺的標準游泳池。

艾瑞克的國家只有一座十三公尺長的游泳池，他一星期只能在那裡練習三個小時。因為練習的時間太少了，所以他必須到河流裡、到海邊練習游泳。他沒有教練，只有一個漁夫教他腳要怎麼踢，手要怎麼划，才不會沉下去。

比賽前一天，艾瑞克偷偷模仿其他選手跳水的樣子，終於學會怎麼跳水。比賽當天，游泳館內有幾千個觀眾，幾百臺攝影機，現場鬧哄哄的。

艾瑞克知道，全世界最頂尖、游得最快的選手都在這裡了。看著似乎沒有盡頭的長水道，艾瑞克問自己：「我游得過去嗎？」他身體微微發抖，但他咬咬牙對自己說：「我一定辦得到！」

槍聲一響，他跳入水裡，使盡吃奶的力氣飛快的擺動著手臂、踢動雙腿。終於游了五十公尺後，他迴轉，開始游第二個五十公尺。但他開始筋疲力竭，腳踢不動，肺似乎要爆炸，他越游越慢。但這時，「加油，艾瑞克加油！」的呼喊聲從四面八方傳來。

全場觀眾起立，大聲為艾瑞克鼓掌及加油，艾瑞克使盡最後一分力氣，終於游到了終點。雖然他的成績是最後一名，但是他面對困難、不怕丟臉的精神，卻是全世界的第一名。

故事背景說明：奧運會為了讓每個國家都有機會參與奧運，特別破例邀請不太會游泳艾瑞克參加比賽。

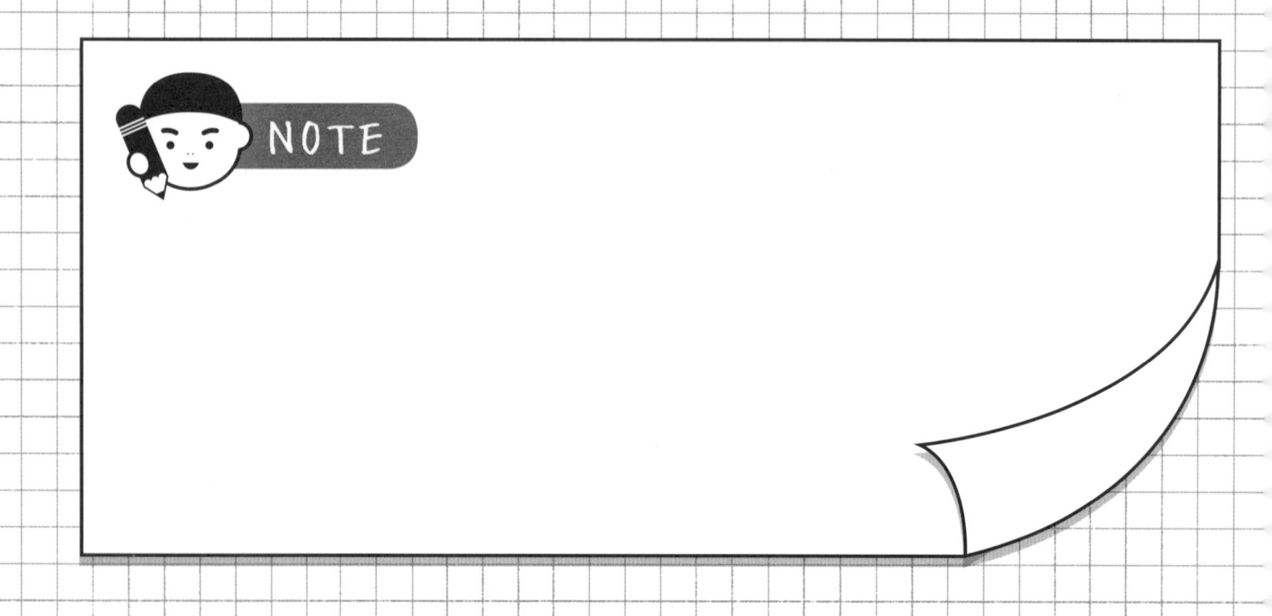

14 誠信是珍貴的寶藏

看圖想一想

1. 你在圖片中看到什麼重要訊息（人、事、物）？
2. 你覺得這位男生拿走信用卡後，會發生什麼事？

誠信是珍貴的寶藏

1

哈里斯是一位心地善良的美國人，有一天她和朋友一起在餐廳吃飯，

2

吃到一半時，她和朋友走到餐廳外面聊天。

3

這時，一名黑人流浪漢走近哈里斯，不好意思的說：「我叫瓦倫丁，失業三年了，

4

不知您是否可以給我一點零錢，讓我買些生活用品？」

5

哈里斯露出微笑說：「沒問題。」接著打開了錢包。

6

令哈里斯感到尷尬的是，錢包裡沒有錢，只有一張信用卡。

7

瓦倫丁看出她的尷尬，小心翼翼的問：「如果您相信我，能將這張卡借我用嗎？」

哈里斯居然不假思索的就把信用卡遞給瓦倫丁。

9

拿著這張卡，瓦倫丁躊躇了一會兒，又問：「除了買些生活用品，還能用它再多買一包香菸嗎？」

10

哈里斯說：「當然可以，你需要就買吧！」之後哈里斯和朋友便走回餐廳。

11

這時哈里斯開始擔心起來：「我的信用卡額度有十萬美元，萬一那個人跑了，我就虧大了！」

12

朋友無奈的說：「你怎麼會那麼輕易相信陌生人呢？」她們食不下嚥，只好走出餐廳。

13

想不到，瓦倫丁已經在門口等候。他雙手奉還卡片，還說：「我一共消費了二十五美元，買了一些盥洗用品、兩瓶水和一包香菸，請您檢查。」

14

哈里斯又驚又喜，抓著瓦倫丁說：「謝謝你，謝謝你！」瓦倫丁一臉疑惑：「是您幫助我，應該是我說謝謝才對啊！」

15

之後，哈里斯將這件事跟《紐約郵報》說，報社被瓦倫丁的誠實感動，便將此事報導出去。

16

故事一刊出來，立刻得到熱烈迴響，報社收到許多讀者的電子郵件，說他們願意幫助瓦倫丁。

17

還有一名商人隔天就匯了六千美元給瓦倫丁，更令人驚喜的是，有一家航空公司想要聘請他擔任空服人員。

18

瓦倫丁感謝的說：「從小母親就教育我，做人一定要誠實守信。因此，我始終相信，誠實終究會有好報。」

誠信是珍貴的寶藏

哈里斯是一位心地善良的美國人，有一天她和朋友一起在餐廳吃飯，吃到一半時，她和朋友走到餐廳外面聊天。這時，一名黑人流浪漢走近哈里斯，不好意思的說：「我叫瓦倫丁，失業三年了，不知您是否可以給我一點零錢，讓我買些生活用品？」哈里斯露出微笑說：「沒問題。」接著打開了錢包。

令哈里斯感到尷尬的是，錢包裡沒有錢，只有一張信用卡。瓦倫丁看出她的尷尬，小心翼翼的問：「如果您相信我，能將這張卡借我用嗎？」哈里斯居然不假思索的就把信用卡遞給瓦倫丁。拿著這張卡，瓦倫丁躊躇了一會兒，又問：「除了買些生活用品，還能用它再多買一包香菸嗎？」哈里斯說：「當然可以，你需要就買吧！」之後哈里斯和朋友便走回餐廳。這時哈里斯開始擔心起來：「我的信用卡額度有十萬美元，萬一那個人跑了，我就虧大了！」朋友無奈的說：「你怎麼會那麼輕易的相信陌生人呢？」她們食不下嚥，只好走出餐廳。

想不到，瓦倫丁已經在門口等候。他雙手奉還卡片，還說：「我一共消費了二十五美元，買了一些盥洗用品、兩瓶水和一包香菸，請您檢查。」哈里斯又驚又喜，抓著瓦倫丁說：「謝謝你，謝謝你！」瓦倫丁一臉疑惑：「是您幫助我，應該是我說謝謝才對啊！」

之後，哈里斯將這件事跟《紐約郵報》說，報社被瓦倫丁的誠實感動，便將此事報導出去。故事一刊出來，立刻得到熱烈迴響，報社收到許多讀者的電子郵件，說他們願意幫助瓦倫丁。還有一名商人隔天就匯了六千美元給瓦倫丁，更令人驚喜的是，有一家航空公司想要聘請他擔任空服人員。

瓦倫丁感謝的說：「從小母親就教育我，做人一定要誠實守信。因此，我始終相信，誠實終究會有好報。」

NOTE

晨讀 10 分鐘系列 036

[小學生]晨讀10分鐘

漫畫語文故事集
訊息文本篇

作者｜曾世杰
漫畫｜章1、5、6、7、8、9、10、11、12、14 呂家豪；
章2、3、4、13 胡覺隆

責任編輯｜李幼婷
封面、版面設計｜林家蓁
電腦排版｜中原造像股份有限公司
行銷企劃｜葉怡伶

天下雜誌群創辦人｜殷允芃
董事長兼執行長｜何琦瑜
兒童產品事業群
副總經理｜林彥傑
總編輯｜林欣靜
主編｜李幼婷
版權主任｜何晨瑋、黃微真

出版者｜親子天下股份有限公司
地址｜台北市 104 建國北路一段 96 號 4 樓
電話｜（02）2509-2800　傳真｜（02）2509-2462
網址｜www.parenting.com.tw
讀者服務專線｜（02）2662-0332　週一～週五：09:00~17:30
讀者服務傳真｜（02）2662-6048
客服信箱｜parenting@cw.com.tw
法律顧問｜台英國際商務法律事務所・羅明通律師
製版印刷｜中原造像股份有限公司
總經銷｜大和圖書有限公司　電話：（02）8990-2588

出版日期｜2020年 6 月第一版第一次印行
2022年10月第一版第六次印行
定價｜350元
書號｜BKKCI012P
ISBN｜978-957-503-603-4

訂購服務
親子天下 Shopping｜shopping.parenting.com.tw
海外・大量訂購｜parenting@cw.com.tw
書香花園｜台北市建國北路二段 6 巷 11 號　電話｜（02）2506-1635
劃撥帳號｜50331356 親子天下股份有限公司

國家圖書館出版品預行編目(CIP)資料

晨讀10分鐘：漫畫語文故事集：訊息文本篇／曾世杰文；呂家豪, 胡覺隆圖. -- 第一版. -- 臺北市：親子天下, 2020.05
120頁；19x25公分. --（晨讀 10 分鐘系列；36）

ISBN 978-957-503-603-4（平裝）

815.96　109005871